Zigomar n'aime pas les légumes

ISBN 978-2-21101277-5

Première édition dans la collection *lutin poche* : mars 1993

© 1992, l'école des loisirs, Paris

Loi numéro 49 956 du 16 juillet 1949 sur les publications

destinées à la jeunesse : septembre 1992

Dépôt légal : octobre 2019

Imprimé en France par Pollina à Luçon – 91411

ZIGOMAR ET PIPIOLI

DANS

ZIGOMAR N'AIME PAS DU TOUT LES LÉGUMES ET IL A BIEN RAISON

de Philippe Corentin

les lutins de l'école des loisirs
11, rue de Sèvres, Paris 6ᵉ

C'est un oiseau et un autre oiseau. Et un arbre.
« Bon ! D'accord ! Posons-nous ! » dit le
premier oiseau.
Cet oiseau-là c'est Zigomar, le merle.
« Ouf ! Je n'en peux plus ! On est allés trop loin ! » dit, à bout de souffle, l'autre oiseau.
L'autre oiseau c'est Pipioli, la souris.

7

Bien sûr qu'une souris ça ne vole pas.
Jusqu'à lundi dernier. C'est ce jour-là que
tout a commencé, lorsque Pipioli faillit
se cogner à un oiseau qui faisait
du rase-mottes. Un oiseau dans lequel
il lui sembla bien avoir reconnu un lapin.
«Si un lapin vole, pourquoi une souris ne volerait-elle pas?» se dit-il alors.

Alors quoi ?

Alors, il est allé voir un vrai oiseau. Pour apprendre à voler.

« Présent ! » lui a immédiatement répondu son ami Zigomar qui dès mardi matin lui donnait sa première leçon.

« Un, deux, trois, quatre… Tes pattes ! Allonge tes pattes ! »

Avec un tel professeur,
les choses ne traînèrent pas.
«Allez saute ! n'aie pas peur !»

10

Boum !
« Aïe ! » fit Pipioli.
« Aïe, aïe, aïe ! » fit son professeur.

Les leçons ont duré toute la semaine.
« Bats des ailes ! Bats des ailes…
Ça y est, il va encore faire boum… »

«Et qui c'est qui a fait boum? Hein?...
C'est celui qui ne veut pas écouter le professeur Zigomar... Allez, relève-toi! ne fais pas l'idiot!»

Et puis le grand jour est arrivé. C'était hier, samedi.
« Ça y est, ça y est! Vas-y, continue! »

Bref, Pipioli n'est peut-être pas un oiseau, mais aujourd'hui, dimanche, il sait voler.
«Je viens de voir des légumes!» dit-il soudain. «On aurait dit des carottes!»
«Des légumes? Tu es sûr?» s'inquiète Zigomar. «Je n'aime pas ça!»

15

« Partons ! Vite ! » décide Zigomar.

Ils s'enfuient mais pas loin ; leurs pattes sont collées à la branche enduite de glu.

Un gluau ! Un piège à oiseaux ! Les voilà prisonniers.

Et ne voilà-t-il pas qu'on les amène devant le roi des végétaux, un gros navet prétentieux. Il n'a pas l'air content, le gros navet. Qu'est-ce qu'il a?

Tout le monde est là. Et tout ce petit monde est en colère. C'est qu'il en a assez d'être cueilli, récolté, moissonné, arraché, coupé, mis en pot, en boîte, épluché, réduit en compote, en purée, macéré, infusé, bu ou croqué. Dorénavant tout mangeur de plantes, buveur de chocolat y compris, sera déclaré coupable et sévèrement puni, ah mais !

« vouman jédep lente matondi ? » dit le roi.
« Moi ? Jamais ! » dit Zigomar. Oh !
« Moi non plus ! » dit Pipioli. Oh !
Oh ! Les gros menteurs.

« keske vouman jéalore ? » dit le roi étonné.

« Que des vers de terre ! » ment effrontément Zigomar qui, comme tous les merles, adore les cerises.

« Moi, que du gruyère ! » ment effrontément Pipioli qui, comme toutes les souris, raffole des noix.

«héduche oufleur?» demande
un chou-fleur.
«Pouah! Ça pue trop!» fait Zigomar.
«héja mèdeuce houpe depoiro?»
s'étonne un poireau.

«Jamais, Monsieur le poireau, c'est trop pouah!»
«Ça c'est bien vrai, c'est très pouah!» perroquette Pipioli.

« hissonr i golo ! keskon leurf è ? » demande une fraise.

« fez onlep leur é ! » propose un oignon.

« fez onlé envie nègrette ! » dit une tomate.

« **esse i onlezanpoizonè ?** » dit un champignon.
« **sèpa maran pikonl è pluto !** » dit une châtaigne.
« Maman ! » appelle Pipioli.

«**épluchonlè**!» dit une banane.
«Maman!» crie Pipioli.

« **nomp ressonlè !** » dit un citron.

« Maman ! » hurle Pipioli.

« Je suis là ! Qu'est-ce qu'il y a ? » dit maman.

« Allez-vous-en ! Allez ouste ! Disparaissez ! Du vent ! Je ne veux plus vous voir ! »
dit la maman aux citrons.
« Et vous, venez prendre votre goûter ! » dit-elle aux oiseaux.

« Que s'est-il passé ? »
« Il a cru qu'il pouvait voler », dit Zigomar. « Ça y est ! Il se réveille. Allez, relève-toi !
Ne fais pas l'idiot… Viens, on va goûter ! »

« Vous allez vous régaler. Je vous ai fait un gâteau aux noix et une tarte aux cerises »,
dit mère Souris.

« j'eunèmepassa sepppabon ! »

« Qu'est-ce qu'il dit ? »

« Je ne sais pas ! » dit Zigomar. « Il n'a pas l'air d'en vouloir. »

« Qu'est-ce qu'il a ? » s'étonne mère Souris. « D'habitude il adore ça ! Il est tombé
sur la tête ou quoi ? »

FIN